Choni y Chano

En la cima del mundo

Holly Hobbie

edebé

Título original: *Top of the world.*
This edition published by arrangement with Little, Brown and Company (Inc.),
New York, New York, USA. All rights reserved.

Traducción: Teresa Blanch.
© Ed. Cast.: edebé 2004
Paseo de San Juan Bosco 62
08017 Barcelona
www.edebe.com

2.ª edición

ISBN 84-236-7027-9
Impreso en España
Printed in Spain
Depósito Legal: B. 42663-2004
Talleres Gráficos Soler, S.A.

Para Joce y Than

Cuando Chano fue a la cocina para desayunar,
se encontró una nota encima de la mesa.

Chano podó el césped.

Al mediodía, Choni no había dado señales de vida.
—Tal vez ha ido a pescar —sugirió Flipi.
—No, siempre pescamos juntos —contestó Chano.

Por la noche, Choni todavía no había llegado.
—Nunca se pierde la cena —dijo Chano.
—¡Está buenísima! —exclamó Flipi—. Le habría gustado.

—¡Choni! —gritaba Chano en el bosque.

—¿Se habrá perdido? —preguntó Flipi.

—No te puedes perder en tu propio bosque —dijo Chano.

Al anochecer, Chano estaba muy preocupado.
¿Y si Choni se había caído en un agujero y no podía salir?
«O quizá había ocurrido algo peor», pensaba Chano.

—Tengo que encontrarle —decidió Chano—. Es mi
mejor amigo.

Chano atravesó el bosque hasta el estanque y subió
hasta la cima de la colina buscando a su amigo.

—¡Choni! —gritaba—. ¿Dónde estás?

«Vaya…, ¿qué tenemos aquí?»

Chano cruzó el sombrío bosque hasta que…

El cielo estrellado se abrió ante él.
«A Choni le encantan los trenes», pensó.

—¡EL AEROPUERTO! —exclamó Chano.
Justo el día anterior, Choni había comentado que hacía
tiempo que no volaba a ningún sitio.

«Provenza», leyó Chano. Choni nunca había estado allí.

«¿Qué estoy haciendo?», se preguntó Chano. Ahora Flipi
también se preocuparía por él. Pero ya era demasiado tarde.

«Si yo fuera Choni, ¿qué camino tomaría?», se preguntó Chano.

Sí, Provenza era un lugar bonito. Pero, ¿dónde estaría su amigo?

—¡*Bonjour,* amigo mío! —exclamó Choni.

—¡Choni! —gritó Chano—. ¿Qué haces aquí?

—Me dejé llevar por un impulso —dijo Choni—. Primero monté en un tren, luego en autobús, en avión y en bicicleta. Una cosa me llevó a la otra, hasta acabar en el Bosque del Cucú —dijo Choni—. Y tú, ¿cómo has llegado?

—Igual que tú —dijo Chano—. Te buscaba, y una cosa me llevó a la otra…, hasta llegar aquí.

—Los impulsos son así —dijo Choni.

—¿Verdad que es emocionante
estar tan lejos de casa? —dijo Choni.
—Flipi debe de estar preocupado
—dijo Chano—. Voy a llamarle.

—Ya he encontrado a Choni
—le dijo Chano—. Estamos
bien y volveremos pronto.

—En Nepal tienen la montaña más alta del mundo…
—dijo Choni.
—¿Crees que es una buena idea ir allí? —preguntó Chano.
—¡Claro que sí!

—¡Uf! —resopló Chano—. Ha sido divertido.

—¡Ya te lo dije! —dijo Choni.

—Me ha gustado que subiésemos juntos —añadió Chano.

Mientras descendían, Chano estuvo muy callado.

—¿Qué te pasa? —dijo Choni—. ¿Estás cansado?

—Echo de menos nuestra casa —reconoció Chano.

—A mí me pasa lo mismo —contestó Choni—. Me gusta viajar, pero luego siempre me entran ganas de regresar a casa.